Pum rheswm pam chi'n dwlu ar Annalisa Swyn ...

Dewch i gwrdd ag Annalisa –
mae hi'n gwbl arbennig!

Mae Bwni Binc, ei hoff degan,
wedi dod yn fyw trwy hud a lledrith!

Ydych chi erioed wedi cael te
gyda môr-forwyn?

Mae teulu Annalisa'n
wahanol iawn!

Lluniau pinc a du hyfryd!

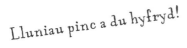

Beth fyddech chi'n ei fwyta petaech chi'n cael te gyda môr-forwyn?

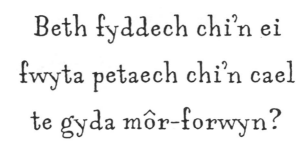

Tomatos môr a chiwcymbr môr.
— Ffred

Brechdanau sogi – iym iym!
— Rhian

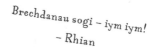

Brechdanau sogi – iym iym!
– Sam

Môr-gacen a môr-fisgedi!
– Heledd

Creision blas tiwna.
– Owain

Bwyd pysgod.
– Alys

Coeden Deulu

Mam
Yr Iarlles Ceinwen Swyn

Babi Blodyn

Dad
Yr Iarll Caleb Swyn

Fi!
Annalisa Swyn

Bwni Binc

I fampirod, tylwyth teg a phlant go iawn ym mhobman!

Ac i Erin Green, sy'n dwlu ar ddolffiniaid.

HM

Cyhoeddwyd gan Rily Publications Ltd 2018
Rily Publications Ltd, Blwch Post 257, Caerffili CF83 9FL
Hawlfraint yr addasiad © Rily Publications Ltd 2018
Addasiad gan Eleri Huws

Cyhoeddwyd gyntaf yn Saesneg fel *Isadora Moon goes Camping* yn 2016
gan Oxford University Press, adran o Brifysgol Rhydychen.

ISBN 978-1-84967-042-5
Hawlfraint y testun a'r darluniau © Harriet Muncaster, 2016
Argraffwyd gan Bell and Bain Ltd, Glasgow

Cyhoeddwyd gyda chymorth ariannol Cyngor Llyfrau Cymru.

RILY

rily.co.uk

ANNALISA SWYN

yn Mynd i Wersylla

Harriet Muncaster

Addasiad Eleri Huws

Pennod
UN

Dyma fi, Annalisa Swyn! A dyma Bwni Binc,
fy ffrind gorau. Am mai hi oedd fy hoff
degan, defnyddiodd Mam hud a lledrith
i'w gwneud hi'n fyw. Mae Mam yn gallu
gwneud pethau fel 'na gan taw tylwythen
deg yw hi. O, gyda llaw, soniais i fod Dad yn
fampir? Mae hynny'n fy ngwneud i'n hanner
tylwythen deg, hanner fampir! Gwych, yntê?

Ar ôl Bwni Binc, fy ffrindiau gorau yw Sioned ac Osian. Ry'n ni'n mynd i'r un ysgol. Ysgol ar gyfer plant go iawn yw hi, a dwi wrth fy modd yno!

Bob bore, mae Sioned ac Osian yn galw amdana i ac ry'n ni'n cerdded i'r ysgol gyda'n gilydd. Dyw Mam a Dad byth yn agor y drws – maen nhw'n cadw'n ddigon pell oddi wrth bobl go iawn!

Y diwrnod cyntaf yn yr ysgol ar ôl gwyliau'r haf oedd hi, ac ro'n i'n edrych 'mlaen at weld fy ffrindiau. Cyn gynted ag y clywais i gloch y drws yn canu, rhuthrais i'w agor.

'Sioned!' llefais, gan neidio tuag ati a rhoi clamp o gwtsh iddi hi.

'Bore da, Osian,' dywedais – dyw e ddim yn hoffi cwtshys.

I ffwrdd â ni i lawr llwybr yr ardd, a Bwni Binc yn bownsio'n hapus wrth ein hochr. Roedd Sioned yn gwneud sŵn tincial

wrth gerdded – mae hi'n hoffi gwisgo
mwclis a breichledau, ac yn gobeithio bod
yn actores ar ôl tyfu'n fawr.

'Heddiw, y fi yw'r Frenhines Sioned!'
cyhoeddodd yn falch, gan fyseddu ei mwclis
lliwgar a chyffwrdd y goron bapur ar ei
phen.

'Dwi'n hoffi dy freichledau di,'
dywedais. 'Ble gest ti nhw?'

'Yn Ffrainc,' atebodd Sioned, 'pan
oedden ni yno ar wyliau. Roedd e'n très
gwych! Aethon ni yno ar y llong fferi.'

'Www! Mae'n swnio'n grêt,' meddai
Osian, sy'n hoffi llongau.

Chwiliodd Sioned yn ei bag a thynnu
breichled arall allan ohono. 'I ti mae hon,

Annalisa,' meddai. 'Anrheg o Ffrainc.'

'Waw!' llefais, yn wên o glust i glust.
'Diolch yn fawr!'

'Ac mae hwn i ti, Osian,' meddai
Sioned, gan roi magnet 'run siâp â baner
Ffrainc yn ei law.

'Cŵl! Diolch!'

Er 'mod i wrth fy modd gyda'r
freichled, ro'n i'n teimlo braidd yn annifyr
– do'n i ddim wedi prynu unrhyw beth i
Sioned o 'ngwyliau i.

'Dwi'n edrych 'mlaen at y wers
Dangos a Dweud heddiw,' meddai Osian
yn gyffrous. 'Dwi wedi dod â lluniau o'n
gwyliau ni mewn gwesty ar lan y môr!'

'Neis iawn,' dywedais yn dawel. Doedd

gen i ddim awydd sôn am fy ngwyliau i.
Ro'n innau hefyd wedi aros ar lan y môr,
ond roedd 'na bethau rhyfedd wedi digwydd
yno . . . pethau oedd byth yn digwydd ar
wyliau pobl go iawn.

Pan gerddon ni i mewn i'r stafell
ddosbarth, roedd Miss Morgan wrthi'n
brysur yn gosod pethau'n barod ar gyfer y
Dangos a Dweud.

'Bore da!' dywedodd gan wenu ar
bawb. 'Gobeithio bod pawb wedi cael haf
gwerth chweil. Nawr 'te, pwy sy am ddod
lan gyntaf i sôn am eu gwyliau?'

Saethodd degau o ddwylo i'r awyr, a
minnau'n gwneud fy ngorau glas i guddio
y tu ôl i'r ddesg. Wir yr, doedd gen i ddim

awydd sefyll o flaen y dosbarth i ddweud fy hanes. Byddai pawb yn siŵr o feddwl 'mod i'n . . . od.

'Annalisa Swyn!' meddai Miss Morgan. 'Beth amdanat ti?'

Edrychais arni mewn panig.

'Dere lan fan hyn,' meddai. 'Dwi'n siŵr dy fod ti wedi cael haf i'w gofio.'

Yn aaaaaraf iawn, codais ar fy nhraed

a cherdded at Miss Morgan. Roedd môr o wynebau disgwylgar yn syllu arna i. Tynnais anadl ddofn.

'Wel . . .' dechreuais mewn llais crynedig.

Un bore braf ar ddechrau gwyliau'r ysgol, cerddais i mewn i'r gegin a gweld Mam yn chwifio'i hudlath. Yng nghanol y llawr roedd pabell o ddefnydd blodeuog, newydd ei chreu drwy hud a lledrith. Roedd Dad yn eistedd wrth y bwrdd yn yfed ei sudd coch a Babi Blodyn, fy chwaer fach, yn ei chadair uchel yn gwneud llanast gyda'i thost. Roedd golwg flinedig ar Dad – roedd e newydd gyrraedd adre ar ôl bod yn hedfan drwy'r nos. Rhai felly yw fampirod, welwch chi.

Gwenodd Mam arna i. 'Beth wyt ti'n feddwl o hon, 'te?' meddai, gan bwyntio at y babell. 'Wyt ti'n hoffi'r patrwm? I ti mae hi – ry'n ni'n mynd i wersylla!'

'BETH?!' gwaeddodd Dad, gan boeri sudd coch dros y bwrdd.

'Ie,' meddai Mam. 'Ry'n ni'n mynd i wersylla ar lan y môr. Dwi wedi trefnu popeth.'

'Hy!' meddai Dad yn sychlyd. 'Dydw i ddim yn bwriadu mynd i wersylla. Dim gobaith!'

'Paid â bod mor ddiflas,' atebodd

Mam. 'Fe fyddi di wrth dy fodd! Does dim byd gwell na deffro yn yr awyr iach, haul y bore bach yn tywynnu i mewn i'r babell, a choginio brecwast ar dân agored cyn chwarae ar y traeth. O, byddai'n wych cael bod mor agos at natur!'

'Hmmm,' oedd ymateb Dad. Doedd e ddim yn hapus.

Cerddais o gwmpas y babell ac edrych yn fanwl arni. Codais y fflap a rhoi fy mhen i mewn.

'Wel,' meddai Mam. 'Wyt ti'n ei hoffi hi?'

'Dwi ddim yn siŵr am y lliw,' dywedais. 'Braidd yn *rhy* binc a blodeuog.'

'Iawn – beth am hyn 'te?' gofynnodd Mam gan chwifio'i hudlath eto. Yn sydyn,

roedd y lliw pinc wedi diflannu, a phatrwm streipiog du a gwyn wedi cymryd ei le.

'Gwell o lawer, diolch,' dywedais gan gropian i mewn i'r babell. Daeth Bwni Binc ar fy ôl, ac eisteddodd y ddwy ohonon ni dan y cynfas yn gwrando ar sgwrs Mam a Dad.

'Mae'r gwersyll reit wrth y traeth, felly gallwn ni fynd i nofio yn y môr bob dydd,' meddai Mam. Rhoddodd Bwni Binc ei dwylo dros ei chlustiau. Dyw hi ddim yn hoffi gwlychu, rhag i mi ei hongian ar y lein ddillad!

'A ta beth,' aeth Mam yn ei blaen, 'mae'r cyfan wedi'i drefnu. Ry'n ni'n mynd i wersylla – heddiw! Felly gwell i ti ddechrau pacio!'

'Os felly,' meddai Dad, 'dwi'n mynd i gael bath. Man a man i mi fwynhau tipyn o gysur tra galla i.'

Ro'n i wedi bod yn becso sut yn y byd roedd Dad yn mynd i ddod i ben heb stafell 'molchi ar ein gwyliau gwersylla. Wir i chi, mae'n treulio oriau yno! Mae'n eistedd yn y bath am amser hir, hir, yng ngolau cannoedd o ganhwyllau bach, yn chwarae cerddoriaeth glasurol. Ar ôl dod mas, mae e wrthi am oesoedd yn cribo jél i mewn i'w wallt du, sgleiniog.

'Mae fampirod yn meddwl y byd o'u gwallt.' Dyna fydd e'n ei ddweud bob tro, gan ychwanegu, 'fe ddylet ti frwsio dy wallt yn amlach o lawer, Annalisa.' Bryd

hynny dwi'n gwgu'n gas arno fe.

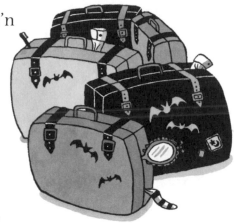

Ar ôl brecwast aethon ni ati i bacio, a buan iawn roedd pawb, heblaw Dad, yn aros wrth y drws ffrynt. Ymhen hir a hwyr, ymddangosodd Dad ar dop y staer – gyda phum cês anferth!

'Fedri di ddim dod â'r holl gesys 'na,' llefodd Mam. 'Does dim lle yn y car!'

'Fe wna i eu clymu nhw ar y to, felly,' atebodd Dad gan wenu.

Ochneidiodd Mam. Gafaelodd yn un o'r cesys, ond roedd e'n rhy drwm iddi ei godi. 'Beth yn y byd sy gen ti yn hwn?' gofynnodd, gan chwifio'i hudlath tuag ato. Yn sydyn, agorodd y cês a llifodd holl stwff 'molchi a stwff gwallt Dad allan ohono.

'Wyt ti'n hanner call a dwl?' llefodd Mam. 'A dwyt ti erioed yn bwriadu dod â hwnna?' meddai, gan bwyntio at grib ddu ffansi. 'Crib arbennig dy hen-hen-hen dad-cu yw honna!'

'Ie, mae hi'n werth y byd i mi,' meddai Dad.

'Ond mae'r grib 'na yn werth lot fawr o arian,' meddai Mam, gan ei helpu i roi popeth yn ôl yn y cês. 'Beth petai hi'n mynd ar goll?'

'Wnaiff hi ddim,' atebodd Dad yn bendant, gan edrych yn falch ar y grib. "Drycha fel mae'r gemau 'ma'n disgleirio!'

Gan fod cesys Dad yn cymryd cymaint o le, roedd Bwni Binc, Babi Blodyn a fi wedi'n gwasgu'n dynn yn y sedd gefn. Roedden ni mor anghyfforddus!

Roedd y daith yn ddiddiwedd. 'Ydyn ni bron yna eto?' cwynais sawl tro. Ond doedd Mam a Dad ddim yn gwrando. Dechreuodd Bwni

Binc neidio lan a lawr ar fy nghôl, yn ceisio gweld y môr allan drwy'r ffenest. Naid . . . naid . . . NAID! Ac o'r diwedd, dyna lle roedd e, fel rhuban disglair o'n blaenau!

'Y MÔR!' gwaeddais. 'Ry'n ni wedi cyrraedd!'

Chwifiodd Babi Blodyn ei breichiau bach tew a chwerthin yn uchel.

Dechreuodd Mam hymian yn hapus wrth i ni yrru i lawr lôn fach gul. Syllodd Bwni Binc a fi allan drwy'r ffenest – a dacw fe, yr arwydd roedden ni'n chwilio amdano!

Croeso i Wersyll Bae'r Fôr-forwyn

'Dyma ni,' cyhoeddodd Mam gan wenu. Gyrrodd y car hebio'r arwydd ac i mewn i gae bach. Roedd nifer o bebyll yno'n barod.

'On'd yw hi'n hyfryd yma?' meddai Mam wrth i ni stryffaglu allan o'r car. 'Anadla awyr y môr, Annalisa.'

Anadlais yn ddwfn, a gwnaeth Bwni Binc yr un fath. Roedd yr awyr yn ffres ac arogl gwymon arno.

Gyda help ei hudlath, doedd Mam ddim chwinciad chwannen yn codi'r pebyll.

Roedd y babell roedd Mam, Dad a Babi
Blodyn yn ei rhannu yn ANFERTH. Ac yn
. . . wahanol.

'Croeso i ti ddod i'n pabell ni os wyt
ti'n teimlo'n ofnus yn y nos,' meddai Mam
yn garedig.

'Ofnus? Fi?' atebais gan chwerthin.
'Dwi wrth fy modd yn y nos. Dwi'n hanner
fampir, cofia!'

Roedd Dad wrthi'n brysur yn chwilota
drwy'r cesys. 'Nawr 'te,' meddai, 'ym mha
gês rois i'r rholyn papur wal a phatrwm
'stlumod arno fe? A beth am y gwely plygu
pedwar-postyn? Ble mae hwnnw? Ac oes
'na blwg trydan yn rhywle ar gyfer fy
oergell?'

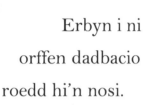

Erbyn i ni orffen dadbacio roedd hi'n nosi. Aeth Mam a fi ati i gynnau tân, ac eisteddodd pawb o'i gwmpas yn tostio malws melys ar ffyn hir.

'Dyma beth yw gwersylla,' meddai Mam yn hapus. 'Mae'n wych yma!'

Nodiais heb ddweud gair – roedd fy ngheg yn llawn o falws melys, a'r rheiny'n glynu wrth fy nannedd.

Roedd hyd yn oed Dad yn edrych yn hapusach ers iddi dywyllu. Sugnodd ei ddiod goch drwy welltyn

a syllu i fyny i'r awyr.

'Gan ein bod ni yng nghefn gwlad, byddwn yn gallu gweld mwy o sêr yn yr awyr,' meddai. 'Fe af i nôl fy nhelesgop arbennig o'r babell. Wedyn galla i syllu ar y sêr drwy'r nos!'

'Nid drwy'r nos,' meddai Mam yn bendant. 'Rhaid i ti gael rhywfaint o gwsg er mwyn i ni gael diwrnod ar y traeth fory.'

'Ond rhai fel 'na yw fampirod,' protestiodd Dad. 'Maen nhw'n effro yn y nos ac yn cysgu yn y dydd!'

'Caleb . . .' rhybuddiodd Mam.

'O'r gorau, cariad,' ochneidiodd Dad. 'Fe wna i fy ngorau . . .'

Pennod
DAU

Pan wyt ti'n gwersylla, rhaid i ti gerdded
– yn dy byjamas – i le o'r enw 'Y Bloc
Toiledau' i ddefnyddio'r tŷ bach, glanhau
dy ddannedd a chael cawod. Roedd yn
rhaid i mi sefyll o flaen sinc mewn rhes hir,
a glanhau fy nannedd drws nesaf i bobl
eraill oedd yn aros yn y gwersyll. Ro'n i'n
teimlo'n od yn gwisgo fy mhyjamas yn yr

awyr agored, ond doedd dim ots gan fod
pawb arall yr un fath!

Gan ei bod yn dywyll erbyn hynny,
roedden ni'n defnyddio hudlath Mam fel
torts i gerdded yn ôl dros y cae. Aeth

Bwni Binc a fi'n syth i
mewn i'r babell streipiog a
chwtsho gyda'n gilydd yn y
sach gysgu. Roedden ni'n glyd
ac yn gynnes braf, a daeth Dad
draw i gau sip y babell.

'Nos da, Annalisa,' meddai.
'Nos da, Bwni Binc.'

'Nos da, Dad,' atebais yn gysglyd.

Gorweddais yn y tywyllwch am sbel,
yn gwrando ar y synau o 'nghwmpas.
Roedd 'na rywbeth yn siffrwd y tu allan,
gwdihŵ yn hwtian, a phobl yn
siarad.

Ond do'n i ddim yn ofnus. Dwi wrth fy modd yn y tywyllwch!

Deffrais yn gynnar y bore wedyn. Roedd yr haul yn tywynnu'n gryf ar do'r babell gan ei gwneud yn dwym iawn y tu mewn.

'Bore da!' meddai Mam yn hapus wrth i mi wthio fy mhen drwy'r fflap. 'Byddwn ni'n mynd i'r traeth cyn gynted ag y byddi di'n barod. Ond rhaid i ni ddod o hyd i Dad yn gyntaf – mae e wedi diflannu i rywle.'

'Hmm,' atebais. 'Mae gen i syniad eitha da ble mae e . . .'

Y tu allan i'r unig gawod yn Y Bloc Toiledau, roedd 'na giw hir o bobl yn aros

– a phawb yn cwyno a grwgnach wrth
ei gilydd. Rhedais i flaen y ciw a churo'n
galed ar y drws.

'Dad? Ers faint o amser wyt ti wedi
bod yn y gawod 'ma?' gofynnais.

'O, dim ond awr neu ddwy,' atebodd.

Roedd cwmwl o stêm yn codi o dan y
drws, a gallwn glywed Dad yn hymian yn
hapus.

'Rhaid i ti ddod mas – nawr!'
dywedais wrtho. 'Mae 'na giw hir o bobl
yn aros ers meityn i gael cawod.'

'Jiw jiw, oes 'na wir?' holodd.

'Oes,' mynnais. 'Dere mas ar unwaith
– ry'n ni'n mynd i'r traeth.'

Clywais y gawod yn cael ei throi i

ffwrdd, ac yn fuan daeth Dad i'r golwg –
wedi'i lapio mewn tywel, a thwrban am
ei ben.

Profiad ofnadwy oedd gorfod cerdded

heibio'r ciw hir o bobl. Roedd pawb
yn syllu arnon ni a golwg grac ar eu
hwynebau. O, y fath gywilydd! Roedd fy
mochau'n llosgi.

'Dyma chi o'r diwedd!' meddai Mam
wrth i ni gyrraedd yn ôl i'r babell. 'Gallwn
ni fynd i'r traeth nawr!'

'Dwi ddim yn barod eto,' protestiodd
Dad. 'Rho bum munud i mi . . .'

Hanner awr yn ddiweddarach, daeth
Dad allan o'r babell yn gwisgo clogyn du a
sbectol haul, ac yn cario parasól ddu o dan
ei fraich. Yn ei law roedd potyn o jél gwallt
a chrib werthfawr ei hen-hen-hen dad-cu.

'Dwi'n barod!' cyhoeddodd, yn wên o
glust i glust.

Cerddon ni drwy giât fach ac ar hyd y
llwybr cul, tywodlyd at y traeth. Taenodd
Mam flanced ar y tywod ac eistedd i lawr.

'On'd yw hi'n hyfryd yma!' dywedodd.

Ac roedd hi'n dweud y gwir. Roedd
y môr glas yn pefrio fel miloedd o sêr
bach, a'r tywod yn dwym a meddal dan fy
nhraed.

'Dere i godi castell tywod gyda fi,
Dad!' dywedais.

'Iawn – ond rho bum munud bach i
mi,' atebodd. Cododd ei barasól fawr ddu, a
rhwbio llwythi o eli haul i mewn i'w groen.
Lapiodd ei hun yn ei glogyn du, ac estyn

am ei grib.

'Rhaid dy fod ti'n teimlo'n dwym, Dad,' dywedais wrth i mi ddechrau adeiladu clamp o gastell tywod.

'Nac ydw wir,' mynnodd Dad, a'r chwys yn diferu i lawr ei wyneb. Dechreuodd drin ei wallt, gan gribo lympiau o jél sticlyd i mewn iddo.

Erbyn iddo orffen trin ei wallt, roedd fy nghastell tywod yn barod. Un da oedd e hefyd, a'i dri tŵr uchel. Cerddodd Bwni Binc a fi ar hyd y traeth yn casglu cregyn i addurno waliau'r castell.

Yn fuan, roedden ni wedi defnyddio pob un o'r cregyn. 'Mae angen rhywbeth arbennig ar dop y tŵr uchaf, i'w orffen yn

iawn,' dywedais.

O gornel fy llygad, gallwn weld fod
Dad yn pendwmpian o dan ei barasól.
'Wnaiff e ddim sylwi os byddwn ni'n
benthyg ei grib ffansi am ychydig,'
sibrydais wrth Bwni Binc.

Ac i ffwrdd â fi ar flaenau 'nhraed i nôl
y grib a'i gosod yn ofalus ar ben tŵr uchaf y
castell tywod. 'Waw!' rhyfeddais wrth weld
pelydrau'r haul yn fflachio ar y gemau coch
pert. Safodd Bwni Binc a fi yn ein hunfan i
syllu ar ein campwaith. Cymerais gipolwg
ar Dad, ond roedd e'n dal i gysgu'n sownd.

'Annalisa!' galwodd Mam. 'Mae Babi
Blodyn a fi'n barod i fynd i'r môr. Wyt ti
am ddod?'

'O ydw, plis!' atebais.

Trois at Dad a dweud, 'Dere gyda ni – bydd yn well o lawer i ti nag eistedd fan hyn!' Ond roedd e'n dal i gysgu, a chlywodd e mohono i. Dyna drueni, meddyliais, byddai Dad wrth ei fodd yn y môr. Wedi'r cwbl, fe sy'n mynd â fi i gael gwersi nofio bob wythnos, ac ry'n ni wastad yn cael hwyl yn y pwll. Mae e wedi bod yn trio fy nysgu i nofio o dan y dŵr – ond dyw e ddim wedi llwyddo eto. Dwi'n dal yn rhy ofnus . . .

Roedd Mam a Babi Blodyn yn sblasio'n hapus yn y tonnau. 'Dere i mewn, Annalisa,' galwodd Mam. 'Mae'r môr yn hyfryd!'

Chwifiodd Babi Blodyn ei breichiau bach tew a chicio'i thraed yn ei chylch rwber lliwgar. Agorodd ei cheg i weiddi'n hapus . . .

. . . a disgynnodd ei dymi i'r dŵr.

'O, na!' llefodd Mam gan neidio i geisio'i dal – ond roedd hi'n rhy hwyr. Gwyliais yn gegagored wrth i'r ddymi suddo'n araf i waelod y môr.

'WAAAAAA!' sgrechiodd Babi Blodyn, a throdd pawb i edrych arnon ni.

Rhaid i mi fod yn ddewr, meddyliais. *Does gen i ddim dewis.* Tynnais anadl ddofn, cau fy llygaid yn dynn, dynn a rhoi fy mhen o dan y dŵr!

Er bod sŵn y môr fel taranau yn fy nghlustiau, daliais fy ngwynt, gwthio fy mreichiau allan o 'mlaen, a chwilota ar wely'r môr am y ddymi. Ble yn y byd oedd hi? O'r diwedd, gallwn ei theimlo o dan fy mysedd.

'Annalisa!' llefodd Mam wrth i mi godi 'mhen. 'Rwyt ti newydd nofio o dan y dŵr! Wyt ti'n iawn?'

'Ydw, Mam,' pesychais, gan boeri dŵr hallt o 'ngheg. 'A dwi wedi dod o hyd i ddymi Babi Blodyn!'

'Rwyt ti'n seren!' meddai Mam, gan roi clamp o gwtsh i mi.

'Trueni nad oedd Dad yma i 'ngweld i,' dywedais yn dawel.

Erbyn i ni ddod allan o'r môr roedd y llanw wedi troi, a doedd dim golwg o'r castell tywod yn unman. Roedd Dad wedi

deffro o'r diwedd, ac yn brysur yn pacio'r bagiau. Wrth i mi gerdded tuag ato, gwelais ei fod e'n chwilota am rywbeth . . .

'Dwi'n siŵr ei bod hi gen i'n gynharach,' dywedodd dan ei wynt.

'Am beth wyt ti'n chwilio?' holodd Mam.

'Fy nghrib, wrth gwrs!' llefodd Dad. 'Crib werthfawr fy hen-hen-hen dad-cu!'

Yn sydyn, roedd fy nghorff i gyd yn

crynu fel deilen, er bod y tywydd yn braf. Syllais at y fan lle roedd fy nghastell tywod wedi sefyll.

O na! Fe anghofiais yn llwyr am y grib! meddyliais. Dylwn fod wedi'i rhoi hi'n ôl i Dad cyn mynd i'r môr. Nawr mae e wedi diflannu am byth bythoedd!

Roedd Dad yn dal i chwilio a chwalu drwy'r bagiau. 'Fan hyn roedd hi, dwi'n berffaith siŵr,' taerodd.

'Dyw hi ddim wedi mynd yn bell,' mynnodd Mam, gan ddechrau chwilota yn y tywod o amgylch y lle roedd Dad wedi bod yn eistedd.

'Mae rhywun wedi'i DDWYN hi!' llefodd Dad.

'Twt lol,'
meddai Mam
yn siarp.

'Pwy yn y byd
fyddai'n dwyn crib?'

'Cranc, falle,' sniffiodd Dad. 'Hen granc
bach slei.'

'Dyw hynna ddim yn debygol iawn,'
meddai Mam yn bendant. 'Nawr 'te – ble
mae fy hudlath i? Fydda i ddim eiliad yn
dod o hyd iddi hi.'

Chwifiodd ei hudlath yn yr awyr sawl
tro, ond doedd dim golwg o'r grib.

'Dyna ryfedd,' meddai Mam. 'Dyw fy
hud a lledrith i byth yn methu fel arfer.'

Ro'n i'n teimlo mor euog nes bod gen

i boen yn fy mola, ond rhywsut doedd y geiriau ddim yn dod allan o 'ngheg. Sut gallwn i gyfadde wrth Dad bod ei grib ar waelod y môr?

Roedd pawb yn dawel iawn wrth gerdded yn ôl i'r gwersyll. Doedd Dad ddim yn edrych yn hapus o gwbl.

'Bydd *raid* i mi ddweud wrtho fe'n fuan,' sibrydais wrth Bwni Binc. 'Ar ôl swper, cyn i ni fynd i'r gwely. Falle bydd e mewn gwell hwyliau ar ôl yfed ei sudd coch.'

Nodiodd Bwni Binc ei phen yn ddoeth. Mae hi'n gwybod pa mor bwysig yw dweud y gwir bob amser.

Erbyn i Dad ddod i'r babell i roi cwtsh i Bwni Binc a fi, roedd yn rhaid i mi ddweud

wrtho. 'Mae'n wir flin gen i am dy grib di,
Dad,' llefais.

'Paid â becso, Annalisa fach,' atebodd.
'Nid arnat ti mae'r bai. Fe ddaw hi i'r
golwg, dwi'n siŵr.'

'Wel, a dweud y gwir . . .' dechreuais,
ond yr eiliad honno galwodd Mam arno.

'Gwell i mi fynd,' meddai Dad. 'Nos
da, bach.'

'Nos da, Dad,' sibrydais.

Pennod
TRI

Gorweddodd Bwni Binc a fi yn y babell
dywyll heb ddweud gair. Ro'n i'n teimlo mor
euog nes methu'n lân â chysgu. Roedd y
grib ar goll am byth ar waelod y môr mawr.

Neu oedd hi?

Codais ar fy eistedd. Tybed oedd 'na
unrhyw siawns fod y tonnau wedi golchi'r
grib yn ôl i fyny'r traeth?

Stryffaglais allan o'r sach gysgu.
'Bwni Binc!' sibrydais. 'Deffra! Ry'n ni'n
mynd i lawr at y traeth!'

Neidiodd Bwni Binc o'r gwely ar
unwaith. Doedd hithau chwaith ddim wedi
gallu cysgu. Cripiodd y ddwy ohonon ni
allan o'r babell a sefyll yn y cae tywyll.
Roedd yr awyr yn llawn o sêr bach disglair,
a'r unig sŵn i'w glywed oedd pobl yn
chwyrnu yn y pebyll o'n cwmpas.

Es ar flaenau 'nhraed at babell Mam
a Dad a gwthio fy llaw i mewn yn ofalus.
'Rhaid i ni ddefnyddio hon fel tortsh,'
sibrydais wrth Bwni Binc gan godi hudlath
Mam yn fy llaw. Chwifiais hi yn yr awyr, a
goleuodd y seren ar ei phen yn binc llachar.

Gafaelais yn dynn ym mhawen Bwni Binc, a chododd y ddwy ohonon ni i fyny i'r awyr. Dwi wrth fy modd yn hedfan, yn enwedig yn y nos. Roedden ni'n uchel

uwchben y cae, a'r pebyll yn ddim ond smotiau bach du oddi tanom. I ffwrdd â ni tuag at y môr, gan ddilyn sŵn y tonnau.

Pwyntiais dortsh Mam i lawr at y traeth lle buon ni'n eistedd. 'Falle bod y grib wedi cael ei golchi i fyny fan hyn,' dywedais yn obeithiol.

Cerddodd y ddwy ohonon ni'n araf ar hyd y traeth, yng ngolau gwan yr hudlath. Er bod pob math o bethau yno – cerrig lliwgar, cregyn pert a gwymon – doedd dim golwg o grib Dad yn unman. Cydiodd Bwni Binc yn dynn yn fy llaw – dyw hi ddim yn hoffi'r tywyllwch.

Sblash! Sblash!

Edrychais o 'nghwmpas. 'Beth oedd y sw^n 'na?' sibrydais wrth Bwni Binc. Ond doedd ganddi ddim syniad – roedd hi'n cau'i llygaid yn dynn.

Syllais allan i'r môr a gweld, o gornel fy llygad, rhywbeth yn fflachio yn y dŵr. Falle taw crib Dad sy 'na! meddyliais yn gyffrous. Codais i fyny i'r awyr, gan dynnu Bwni Binc y tu ôl i mi.

'Dere!' dywedais. Ac i ffwrdd â ni.

Wrth ddod yn nes, gallwn weld bod y peth disglair yn symud. 'O na!' dywedais yn siomedig. 'Nid crib Dad yw hi, felly.'

Yn sydyn, clywais ryw lais bach yn galw o rywle. 'Helô?'

Yng ngolau'r lleuad, gwelais ferch tua'r un oed â fi yn y môr. Roedd ganddi wallt hir, hir, ac yn lle coesau roedd ganddi gynffon pysgodyn oedd yn fflachio'n lliwgar yn y dŵr.

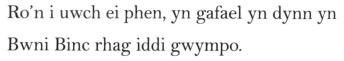

Ro'n i uwch ei phen, yn gafael yn dynn yn
Bwni Binc rhag iddi gwympo.

'Helô!' atebais. 'Môr-forwyn wyt ti?'

'Ie siŵr,' atebodd. 'Pam wyt ti'n hofran
lan fan'na?'

'Hedfan ydw i, nid hofran!' atebais.
'Dwi'n hanner tylwythen deg, hanner
fampir!' Trois yn yr awyr er mwyn iddi hi
allu gweld fy adenydd.

'Waw! Dwi erioed wedi cwrdd â
hanner tylwythen deg, hanner fampir o'r
blaen!' dywedodd.

'A dwi erioed wedi cwrdd â môr-
forwyn chwaith!' meddwn i.

Dechreuodd y ddwy ohonon ni
chwerthin – ac roedd ei llais hi'n swnio

66

fel cadwyn o gregyn bach yn tincial yn yr awel.

'Glesni ydw i,' meddai. 'Beth yw dy enw di?'

'Annalisa,' atebais, 'a dyma Bwni Binc.'

'Mae hi'n ddoniol,' chwarddodd Glesni.

Doedd Bwni Binc ddim yn hapus o gwbl – dyw hi ddim yn hoffi cael ei galw'n ddoniol.

'Pam yn y byd ry'ch chi'ch dwy fan hyn mor hwyr y nos?' holodd Glesni.

'Ry'n ni'n chwilio am rywbeth gwerthfawr iawn,' atebais. 'Aeth ar goll heddiw pan oedden ni ar y traeth.'

'O?' meddai Glesni. 'Beth yw e?'

'Crib,' atebais. 'Crib arbennig iawn,

iawn. Un Dad yw hi . . .'

'Crib ddu bert?' holodd Glesni. 'Gyda phatrwm arni hi, a gemau coch?'

'Ie!' atebais yn hapus. 'Wyt ti wedi'i gweld hi?'

'Do,' meddai Glesni, 'ond . . .'

'Ble mae hi?' holais yn gyffrous. 'Rhaid i mi ei chael hi'n ôl!'

'Yn anffodus,' meddai Glesni mewn llais bach, 'mae'r Dywysoges Morwenna wedi'i chadw hi. Mae hi wastad yn cael y pethau gorau ry'n ni'n dod o hyd iddyn nhw ar y traeth. A dyw hi ddim yn hoffi rhannu gyda neb . . .'

'Ond crib Dad yw hi!' llefais. 'Rhaid i mi ei chael yn ôl!' A dechreuodd fy llygaid lenwi â dagrau.

'Mae pethau braidd yn anodd,' meddai
Glesni. 'Dyna'n ffordd ni o fyw, ti'n gweld
– ry'n ni'n cael cadw unrhyw beth sy'n dod
i'r golwg o dan y môr.'

Sniffiais, a rhwbio fy llygaid.

'Mae gen i syniad,' meddai Glesni.
'Beth am i mi fynd â ti at y Dywysoges?
Falle, os bydd hi'n gwybod y stori i gyd,
y bydd hi'n fodlon rhoi'r grib yn ôl i ti.
Dyw'r palas ddim yn bell. Dilynwch fi!'

Teimlais Bwni Binc yn tynnu'n ofnus
yn fy llaw. Mae hi'n casáu dŵr!

Syllais ar y môr, oedd bellach yn ddu
dan awyr y nos.

'Er 'mod i'n gallu nofio o dan y dŵr,'

dywedais wrth Glesni, 'alla i ddim dal fy
anadl yn hir iawn. Does gen i ddim gobaith
o dy ddilyn di!'

'O diar, dwi'n dwp,' chwarddodd
Glesni. 'Does dim rhaid i ti fecso. Gwisga
hon, a byddi di'n iawn,'
meddai gan estyn
cadwyn o gregyn
hud a lledrith i mi.

'Ond beth am
Bwni Binc?' holais
wrth wisgo'r gadwyn.
'Mae hi'n casáu bod yn wlyb!'

'Hmmm . . .' Meddyliodd Glesni am
sbel. 'Wn i!' meddai o'r diwedd.

Sblasiodd ei chynffon yn gyflym i

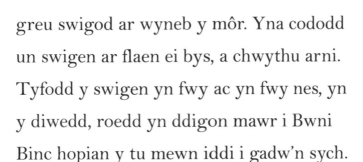

greu swigod ar wyneb y môr. Yna cododd
un swigen ar flaen ei bys, a chwythu arni.
Tyfodd y swigen yn fwy ac yn fwy nes, yn
y diwedd, roedd yn ddigon mawr i Bwni
Binc hopian y tu mewn iddi i gadw'n sych.

'Dere,' meddai Glesni, gan estyn ei
llaw i mi, 'i ffwrdd â ni!'

Gwenais, i guddio'r ffaith 'mod i'n

ofnus iawn, a gadael iddi fy nhynnu i lawr
o dan y môr. Fedrwn i ddim stopio crynu –
roedd yn rhewllyd o oer!

'Paid â becso – fe fyddi di'n cynhesu'n
gyflym iawn,' chwarddodd Glesni.

O dan y dŵr, roedd sglein ar bopeth
yng ngolau'r lleuad – y gwymon yn siglo'n
araf, a'r pysgod bach lliw arian yn gwibio
i mewn ac allan ohono. Yn rhyfedd iawn,

do'n i ddim yn cael unrhyw drafferth
i anadlu. Edrychais dros fy ysgwydd i
wneud yn siŵr bod Bwni Binc yn iawn.

Yn sydyn, pwyntiodd Glesni at siâp
rhyfedd yn y pellter. 'Dacw fe'r palas,'
meddai. 'Ry'n ni bron iawn yno.'

'Rwyt ti'n gallu siarad o dan y dŵr!'
dywedais mewn rhyfeddod. 'O! A finnau
hefyd!' sylweddolais dan chwerthin.

'Mae hynny am dy fod yn gwisgo'r gadwyn hud a lledrith,' esboniodd Glesni. 'Ond does mo'i hangen arna i, wrth gwrs – dwi'n fôr-forwyn!'

'Am balas pert!' llefais wrth i ni ddod yn agosach. 'Mae'n debyg iawn i'r castell tywod godais i, wedi'i addurno â chregyn!'

'Dyma ni!' meddai Glesni o'r diwedd, gan wthio'r drws mawr trwm ar agor. 'Croeso!'

Edrychais o 'nghwmpas mewn rhyfeddod. Ro'n i mewn neuadd anferth, a honno wedi'i goleuo gan gannoedd o oleuadau bach disglair. Roedd hyd yn oed y waliau wedi'u haddurno â gemau a pherlau pert.

'Waw!' llefais. 'Welais i erioed y fath le!
Mae'n hyfryd!'

Aeth Glesni â ni i stafell fawr arall. Ar
ganol y llawr roedd clamp o gadair fawr
arian – a phwy oedd yn eistedd ynddi ond
y Dywysoges Morwenna! Ro'n i'n gwybod
taw hi oedd hi gan fod coron hardd ar ei
phen. Yn ei chôl roedd tedi bach fflwfflyd,
ond yn lle coesau roedd ganddo gynffon
fel un môr-forwyn. Roedd y Dywysoges
wrthi'n brwsio ffwr y tedi ac – o na!
– roedd hi'n defnyddio crib arbennig,
werthfawr, fy hen-hen-hen-hen dad-cu!

Bron bod angen sbectol haul i allu
edrych ar y Dywysoges – roedd popeth
oedd ganddi'n disgleirio! Roedd perlau

a sawl seren fôr fach bert yn ei gwallt, a
rhesi o freichledau ar ei breichiau, a phob
un wedi'i gwneud o emau o wahanol
liwiau. O gwmpas ei gwddw roedd
cadwyni o fwclis perl, a'r rheiny i gyd yn
sgleinio yn y golau.

'Eich Mawrhydi,' mentrodd Glesni.
'Dwi wedi dod â rhywun i'ch gweld chi.'

'Pwy yw hon?' holodd y Dywysoges.
'Does ganddi ddim cynffon, hyd yn oed!'

'Nac oes,' atebais, 'ond mae gen i
adenydd. Annalisa Swyn ydw i – hanner
fampir a hanner tylwythen deg – a dyma fy
ffrind, Bwni Binc.'

'Hmm, wela i,' meddai'r Dywysoges.
'Morwenna ydw i. Rhyw ddiwrnod, fi fydd

Brenhines y Môr!' cyhoeddodd yn falch.

Gwenais yn nerfus arni. 'Dwi wedi dod yma i ofyn ffafr,' dywedais. 'Y grib 'na yn eich llaw – fe gollais i hi ar y traeth heddiw, ac mae Dad yn torri'i galon. Crib

ei hen-hen-hen dad-cu yw hi, ac mae'n arbennig iawn.'

Syllodd y Dywysoges arna i. 'Ond dwi wrth fy modd â hi,' meddai. 'Welais i erioed ddim byd mor bert.' A chododd y grib yn uchel er mwyn i'r gemau gwerthfawr ddisgleirio yn y golau.

'Ydy, mae hi'n bert,' cytunais, 'ond nid eich crib chi yw hi.'

'Wel . . . gallwn i ei rhoi'n ôl, sbo – ond bydd raid i chi aros i gael te gyda fi.'

'Wrth gwrs!' atebais yn gyffrous. 'Bydden ni wrth ein bodd!'

Pennod
PEDWAR

A dyna lle roedden ni – Bwni Binc, Glesi
a finnau – yn eistedd yn cael te gyda'r
Dywysoges Morwenna. Cawson ni
frechdanau, cacennau bach a ffrwythau'r
môr – ac er bod y bwyd yn flasus iawn
roedd popeth braidd yn llaith, a'r tywod yn
y brechdanau'n crensian dan fy nannedd.

'Diolch o galon,' dywedais yn boléit.

'Nawr 'te, ga i gael y grib os gwelwch yn dda?'

Gwgodd y Dywysoges. 'Cei,' atebodd, 'ar ôl i ti chwarae gêm o guddio gyda fi.'

'Ond . . .' dechreuais.

'Fe wna i gyfri,' meddai'r Dywysoges. 'Dos di a Bwni Binc i guddio.'

A dyna lle fuon ni am amser hir, yn chwarae cuddio yn y palas. 'Cofia adael i'r Dywysoges ennill bob tro,' sibrydodd Glesni wrtha i. 'Fel arall, fe fydd hi'n grac iawn!' A dyna wnes i, wrth gwrs.

'Roedd hynna'n hwyl,' meddai'r Dywysoges ymhen hir a hwyr. 'Beth am un gêm arall?'

Edrychais i fyny a gweld bod y wawr

yn dechrau torri. O na! meddyliais. Mae'n
hen bryd i ni fynd yn ôl!

'Beth am i ni chwarae gwisgo lan?'
awgrymodd y Dywysoges. Aeth â ni
draw at gist hardd ac agor y caead. Roedd
hi'n llawn dop o bethau hyfryd – mwclis
a breichledau wedi'u gwneud o berlau
a chregyn, ac ambell goron fach
ddisglair.

'Gwisga'r rhain,' mynnodd y
Dywysoges gan estyn rhai o'r trysorau i mi.

'Ond . . .'

'Dere, plis,' mynnodd, 'does neb byth
yn dod i chwarae gyda fi.'

Edrychais i fyny eto tuag at wyneb y
dŵr. 'Mae'n wir flin

gen i, ond rhaid i mi fynd,' atebais. 'Mae
hi wedi gwawrio erbyn hyn a bydd Mam a
Dad yn becso. Plis ga i'r grib yn ôl?'

'O'r gorau,' meddai'r Dywysoges
mewn llais bach trist, 'ond ar un amod . . .
rhaid i ti roi Bwni Binc i mi.'

'BETH?!' llefais. 'Na wna i wir! Hi yw
fy ffrind gorau. A ta beth, byddai hi'n casáu
byw o dan y môr!'

'O diar,' meddai'r Dywysoges yn

siomedig. Yn sydyn, sylweddolais beth oedd y broblem – roedd hi'n unig iawn, iawn. Doedd ganddi ddim ffrindiau.

'Mae gen i syniad,' dywedais yn gyffrous. 'Beth am i mi ddefnyddio hud a lledrith i ddod â'ch tedi-môr chi'n fyw? Mae hudlath Mam gen i fan hyn – dwi'n credu 'mod i'n gwybod sut i'w defnyddio hi.'

'O! Am syniad gwych!' llefodd y Dywysoges. 'Os galli di wneud hynny, fe gei di'r grib â chroeso! Dyma ti,' meddai gan roi cwtsh i'r tedi-môr cyn ei estyn i mi.

Pwyntiais hudlath Mam tuag ato. Er taw dim ond dechrau dysgu sut i wneud hud a lledrith ydw i, roedd yn rhaid i mi wneud fy ngorau glas. Chwifiais yr hudlath

yn ôl a 'mlaen yn y dŵr. Yn sydyn, saethodd
cwmwl o swigod allan ohoni. Erbyn iddyn
nhw glirio, roedd
y tedi-môr yn
symud ei ben
ac yn chwifio'i
bawennau.

    Ond roedd
rhywbeth mawr
o'i le . . .

O na!
meddyliais,
gan
chwifio'r
hudlath
unwaith eto . . .

Ac eto . . .
Ac o'r diwedd . . .
'Whiw!
Diolch byth!'
sibrydais wrth
Bwni Binc. 'Bron
iawn i mi wneud
llanast o bethau!'

Rhoddais y grib ym mhoced fy mhyjamas cyn i'r Dywysoges gael cyfle i newid ei meddwl. 'Hwyl fawr!' galwais, wrth i Glesni, Bwni Binc a fi adael y palas.

Wrth i ni nofio tuag at wyneb y môr, gallwn weld yr haul yn tywynnu. O, dyna braf oedd cael anadlu awyr iach unwaith eto!

POP! Byrstiodd y swigen, a llwyddais i ddal Bwni Binc cyn iddi gwympo i mewn i'r môr.

'Dwi mor falch ein bod ni wedi cwrdd,' meddai Glesni.

'Diolch i ti am bopeth,' atebais, 'yn

enwedig am fy helpu i ddod o hyd i grib
Dad.'

'Dim problem,' meddai yn ei llais
bach swynol. 'Ac rwyt ti wedi gwneud y
Dywysoges Morwenna'n hapus iawn.'

'Dyma ti,' dywedais gan ddechrau
tynnu'r gadwyn hud a lledrith oddi am fy
ngwddw.

'Cadwa hi,' meddai Glesni. 'Wnaiff yr
hud a lledrith ddim gweithio eto, ond bydd
yn dy atgoffa di am dy antur o dan y môr.'

'O! Diolch yn fawr,' atebais. 'Mae hi
mor bert!'

'Gwell i mi fynd nawr,' meddai Glesni,
'rhag ofn i bobl go iawn fy ngweld i. A
gwell i tithau frysio'n ôl hefyd!'

'Rwyt ti'n iawn,' dywedais gan fflapian f'adenydd. Tasgodd diferion o ddŵr i bobman wrth i Bwni Binc a fi godi i'r awyr.

'Hwyl fawr, Glesni!'

'Hwyl fawr, Annalisa!'

A phan edrychais i lawr roedd hi wedi diflannu.

Gan afael yn dynn ym mhawen Bwni Binc, hedfanais yn ôl ar frys i'r gwersyll. Roedd hi'n dal yn gynnar iawn, a dim golwg o neb o gwmpas y lle. Sleifiais i mewn i babell Mam a Dad, a rhoi'r hudlath yn ôl ym mag Mam cyn mynd i 'mhabell fy hun i newid fy nillad gwlyb.

Pan bipiais allan o'r babell ychydig yn nes 'mlaen, fe ges i sioc! Dyna lle roedd Dad – yn gwisgo shorts a chrys-t – yn brysur yn coginio brecwast i bawb ar dân agored!

'Bore da,' meddai. 'On'd yw hi'n fore hyfryd?'

'Ond . . . Dad . . . pam yn y byd wyt ti wedi codi mor gynnar?' holais.

'Er mwyn i ni gael treulio'r diwrnod

cyfan ar y traeth,' atebodd. 'Neithiwr, soniodd Mam dy fod ti wedi nofio o dan y dŵr! Fe benderfynais i yn y fan a'r lle nad o'n i'n mynd i golli unrhyw beth pwysig arall ar y gwyliau 'ma. Yn nes 'mlaen, fe gei di ddangos dy sgiliau i mi – alla i ddim aros!'

'Fe fydda i wrth fy modd, Dad,' atebais. 'Ond beth am dy grib di?'

Roedd golwg drist ar Dad am funud neu ddau, ond yn sydyn gwenodd a dweud, 'Wel, roedd hi'n grib arbennig – ac yn werthfawr iawn. Ond fy mai i oedd y cwbl – ddylwn i byth fod wedi mynnu dod â hi ar y traeth. Roedd e'n beth twp i'w wneud. Mae treulio amser gyda'r teulu'n bwysicach o lawer na becso am ryw hen grib. Ac o leia,' chwarddodd gan redeg ei fysedd drwy ei wallt sgleiniog, 'mae fy jél yn dal gen i!'

Yn ddistaw bach, estynnais y grib a'i rhoi i Dad. Roedd yr olwg ar ei wyneb yn werth ei weld – ei lygaid ar agor led y pen, a'i geg fel 'O' fawr! Doedd e ddim yn gallu dweud 'run gair . . .

'Mae'n wir flin gen i,' dywedais mewn llais bach, 'ond fi gollodd dy grib di. Fe rois i hi ar dop fy nghastell tywod, a chafodd ei golchi i ffwrdd gan y môr. Aeth Bwni Binc a fi i chwilio amdani neithiwr – a dod o hyd iddi. Dylwn i fod wedi dweud wrthot ti ar unwaith . . .'

Cymerodd Dad y grib o'm llaw a neidio i'r awyr. 'Hwrê!' gwaeddodd. 'Dwi

wedi cael fy nghrib annwyl yn ôl! Diolch i ti, bach!' Rhoddodd sws i'r grib a rhuthro i'r babell i'w chloi'n saff yn ei gês.

Pan ddaeth Dad yn ôl, eisteddodd y ddau ohonon ni o gwmpas y tân.

'Dwi mor falch dy fod ti wedi dod o hyd i'r grib,' meddai, 'ond dylet ti fod wedi dweud y gwir wrtha i o'r dechrau. Gallen ni fod wedi mynd i chwilio amdani gyda'n gilydd.'

'Sori, Dad . . .'

Rhoddodd Dad glamp o gwtsh i mi, cyn i'r ddau ohonon ni fynd ati'n brysur i baratoi brecwast blasus i bawb.

Ar ôl bwyta, aethon ni i gyd i'r traeth – ac roedd e'n ddiwrnod *gwych*.

Mentrodd Dad i mewn i'r môr, a gadael
i mi reidio ar ei gefn drwy'r tonnau. Ar
ôl fy antur y noson gynt, ro'n i'n barod i
ddangos fy sgiliau nofio o dan y dŵr iddo.

'Waw, Annalisa!' meddai. 'Doedd gen i
ddim syniad dy fod ti mor dda! Wyt ti wedi
bod yn ymarfer?'

Ddywedais i 'run gair . . .

Ar ôl cael picnic ar y traeth, buon ni'n
adeiladu castell tywod – y castell gorau,
pertaf, welodd neb erioed!

Y noson honno, ro'n i'n hapus braf
wrth i bawb eistedd o gwmpas y tân yn
bwyta swper. Roedd Dad hyd yn oed wedi
mentro rhoi cynnig ar dostio malws melys!
Fel arfer, mae'n troi ei drwyn ar unrhyw

beth heblaw sudd coch!

'Wel wir, roedd Annalisa'n wych am nofio o dan y dŵr heddiw,' meddai. 'Dwi wrth fy modd 'mod i wedi cael cyfle i'w gweld.'

Ro'n i'n teimlo mor falch.

Rhoddodd Dad ei fraich o 'nghwmpas i, Mam a Babi Blodyn, ac eisteddon ni yno am amser hir, hir yng ngolau coch y tân. Yn sydyn, ro'n i'n teimlo'n flinedig iawn.

'Roeddet ti'n nofio'n union fel môr-forwyn,' meddai Dad wrth i mi gwtshio o dan ei fraich.

'Paid â bod yn dwp, Dad,' chwarddais yn gysglyd. 'Mae pawb yn gwybod nad oes y fath beth â môr-forwyn yn bod!'

Trois at Bwni Binc a wincio'n slei arni.
Yng ngolau gwan y lleuad, gallwn weld
Bwni Binc yn wincio'n ôl arna i.

A dyna ddiwedd fy stori. Yn sydyn,
sylweddolais fod y dosbarth cyfan – hyd yn
oed Miss Morgan – yn syllu'n gegagored
arna i! Gallech fod wedi clywed pìn yn
disgyn . . .

'Mae'n amlwg dy fod ti wedi cael
gwyliau anhygoel, Annalisa,' dywedodd
Miss Morgan o'r diwedd. 'Diolch i ti am
rannu'r antur gyda ni.'

'Byddai'n grêt cael gweld môr-forwyn!'
meddai Sioned.

'Fe hoffwn i dostio malws melys ar dân gwersyll!' gwaeddodd Osian.

'Cysgu mewn pabell fyddai'n hwyl!' dywedodd un o'r plant eraill.

Gafaelais yn y gadwyn oedd yn cuddio o dan fy nghrys. 'Dyma'r gadwyn roddodd y fôr-forwyn i mi,' dywedais wrth bawb.

Codais hi yn yr awyr fel bod y cregyn i gyd yn tincial. Roedd yn swnio'n union fel Glesni pan oedd hi'n chwerthin.

'OOOOO!' sibrydodd pawb, a'u llygaid fel soseri. Cerddais draw at ddesg Sioned, a rhoi'r mwclis iddi hi.

'I ti mae hon,' dywedais. 'Anrheg o'r gwyliau.'

'Diolch yn fawr,' sibrydodd, yn wên o glust i glust.

'Wel wir!' meddai Miss Morgan gan edrych ar ei watsh. 'Mae hi bron yn amser cinio! Bydd raid i ni gario 'mlaen â'r wers pnawn 'ma. Diolch yn fawr i ti, Annalisa, am rannu dy wyliau diddorol gyda ni.'

Gwenais. Fyddai dim rhaid i mi fecso

eto am y wers Dangos a Dweud.

'Gan eich bod wedi cael amser mor wych,' aeth Miss Morgan yn ei blaen, 'mae'n siŵr y bydd y teulu'n mynd i wersylla eto y flwyddyn nesaf.'

'O na, dim gobaith,' atebais. 'Tro Dad yw dewis y gwyliau nesaf, ac mae e wedi trefnu mynd i westy arbennig – Gwesty'r Fampir.

Harriet Muncaster

Dyma fi, Harriet Muncaster!

Fi yw awdur ac arlunydd Annalisa Swyn.

Ie, wir yr! Dwi'n caru pethau bach, bach,

sêr, a gliter ar bob dim.

Hefyd ar gael

ANNALISA SWYN

yn cael Pen-blwydd

Hanner fampir, hanner tylwythen deg – cwbl unigryw!

Harriet Muncaster

Addasiad Eleri Huws

RILY

Mae'n ben blwydd at Annalisa Swyn ac mae
hi'n ysu am gael parti gyda phobl go iawn!
Ond Mam a Dad sy'n trefnu, felly mae'n
bosib na fydd pethau'n hollol fel
roedd hi wedi dychmygu.

Yn y darn isod, Dad sy'n gofalu
am y gêmau parti ...

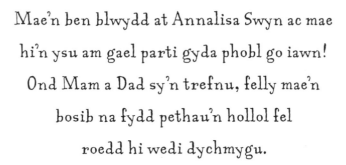

Eisteddodd pawb ar lawr mewn cylch,
a rhoddodd Dad y parsel i un o'r plant.
'Iawn 'te,' meddai, 'bant â ti – pasia fe o
gwmpas.'

Edrychodd pawb ar ei gilydd mewn
penbleth. Roedd rhywbeth ar goll …

'Ble mae'r gerddoriaeth?' sibrydais wrth Dad. 'Rhaid i ni gael cerddoriaeth!'

'Beth wnawn ni?' sibrydodd Dad wrth Mam.

Yn sydyn, agorodd Mam ei cheg a dechrau canu rhyw gân dylwyth teg ryfedd iawn.

Y fath gywilydd! meddyliais, gan deimlo fy wyneb yn cochi. Dechreuodd rhai o'm ffrindiau chwerthin.

'Ie, dyna chi – daliwch i basio'r parsel o gwmpas y cylch!' meddai Dad.

Rownd a rownd ag e … ac eto … ac eto.

Dechreuais feddwl pryd, o pryd, fyddai Mam yn stopio canu, ac ro'n i ar fin sibrwd eto wrth Dad, pan, yn sydyn, daeth CLEC! anferth o gyfeiriad y parsel.

'SYRPRÉIS!' gwaeddodd Dad wrth i'r parsel ffrwydro'n swnllyd yn nwylo Osian. Saethodd tân gwyllt lliwgar ohono, ac ymhen dim roedd gwreichion pinc a sêr arian yn troelli a chwyrlïo, gan lenwi pob twll a chornel o'r stafell.

'O, na!' llefais wrth Bwni Binc, gan roi
fy mhen yn fy nwylo.

Ond doedd fy ffrindiau'n becso dim.
A dweud y gwir, roedden nhw wrth
eu boddau! Cododd pawb ar eu traed a
dechrau dawnsio dan y gawod o wreichion
disglair, i gyfeiliant Mam yn canu.

'Dwi'n teimlo fel taswn i mewn gwlad
hud a lledrith!' sibrydodd Sali.

Dawnsiodd pawb am hydoedd, nes
bod y gwreichion i gyd wedi diflannu a
phawb wedi blino'n lân.

'Amser am hoe fach nawr,'
cyhoeddodd Dad. 'Ac mae'n bleser gen i
gyflwyno'n gwestai arbennig ni. Rhowch
groeso i … Dylan y Dewin!'

Martsiodd Dylan i mewn, ei glogyn
yn chwifio o'i gwmpas. 'Eisteddwch, bawb,'

meddai'n ffroenuchel. 'Nawr 'te, pwy
fyddai'n hoffi cael ei droi'n focs o frogaod?'

Dyma Bleddyn yn codi'i law'n
eiddgar. Suddodd fy nghalon.

'Fi, fi!' llefodd.

'Dere i'r blaen,' meddai Dylan,

Hefyd yng nghyfres Annalisa Swyn

Hwyl a sbri wrth ddarllen gyda Rily

rily.co.uk

Dathlu Roald Dahl gyda Ri

Pecyn bargen yn cynnwys yr 14 llyfr hwn ar gael

Cerddi i blant …

ac i blant oedran uwchradd ac oedolion